Konijnen

Stap-voor-stap verzorging van je lievelingsdier

> Auteur en fotograaf: Monika Wegler

Inhoud

Een prettig thuis

Fit en gezond

Kennismaking

Bezighouden

Bijlage

Een prettig thuis

Vrienden voor het leven

Hannibal, mijn Engelse langoor, huppelt naar mij toe en duwt zijn neus op mijn voet. 'Hallo, ik ben het', betekent dat in konijnentaal. Ik aai hem zacht achter zijn oren. Dat vindt Hannibal erg prettig. Door het poetsen van elkaars vacht verstevigen konijnen namelijk ook hun vriendschappelijke betrekkingen binnen de groep.

Als twee konijnen elkaar zo goed aanvoelen als dit paar, is het geluk compleet.

Konijnen in het gezin

Ik woon al 25 jaar samen met konijnen. Ze hebben een stempel gedrukt op mijn leven en dat van mijn kinderen. Ik zou ze geen dag willen missen. We hebben hartelijk gelachen om hun streken, maar ook gehuild als we van een van hen afscheid moesten nemen.
Maar wie graag konijnen wil houden, moet rekening houden met hun grote passies: ze graven, knagen en markeren waar en wanneer ze de kans maar krijgen. En dus zit het Perzische tapijt vol gaten, is de computerkabel doorgebeten en liggen de keuteltjes overal. Maar geen zorgen: konijnen zijn veel intelligenter dan u denkt: ze kunnen leren en tot op zekere hoogte worden opgevoed (→ blz. 54). Als u hun eisen en gedrag begrijpt en ermee om kunt gaan, zult u ontdekken hoe opgewekt en slim ze zijn. Hoewel u niet direct met ze kunt spelen, brengen ze plezier en levensvreugde in huis.

Meer dan kleine knuffeldieren

Steeds meer brieven die ik van lezers krijg, bevestigen een hoopvolle ontwikkeling: het inzicht in konijnen en hun behoeften neemt toe. Steeds meer konijnenhou-

TIP

Wat konijnen nodig hebben

- Konijnen hebben holen en andere schuilplaatsen nodig waarin ze zich veilig voelen.
- Hooi en vers groenvoer beschermen tegen spijsverterings- en gebitsproblemen.
- Konijnen zijn sociaal en verdraagzaam. Het samenleven met een soortgenoot en veel bewegingsruimte maakt ze gelukkig.
- Konijnen willen knagen en graven. Takken, stukken hout en een zandbak behoren tot hun basisuitrusting.

ders bekommeren zich met kennis van zaken om de juiste huisvesting en stoppen veel tijd, geduld en liefde in de zorg van hun dieren. Vooral jonge dieren zijn snoezig – echte knuffeldieren met een heel zachte vacht en grote kraalogen, die je doorlopend wilt aaien. Daardoor bereiken de 'knuffeldieren' veel kinderharten. Maar die schatjes worden al snel groter en kunnen flink krabben en bijten als ze niet goed worden behandeld. De tranen vloeien dan snel, de ouders raken gefrustreerd en die 'onaardige' konijnen worden niet zelden in het asiel gedumpt. Jaarlijks belanden daar duizenden konijnen na een korter of langer verblijf in een gezin.

Liefdevol begeleiden

Ouders die van dieren houden, weten welke verantwoordelijkheid ze met de aanschaf van een dier op zich nemen. Zij geven hun kinderen het goede voorbeeld door het nieuwe gezinslid met liefde en respect te behandelen. Zij nemen er de tijd voor om hun kinderen uit te leggen hoe een konijn de wereld ziet. Alleen zo kan er

Een tedere beroering van de wang betekent: Hallo, hier ben ik.

meteen een goede verstandhouding ontstaan tussen het wat teruggetrokken konijn en de temperamentvolle kinderen.

Even terug in de tijd

Alle huiskonijnen – van een dwergras van amper 1 kilo zwaar tot een Vlaamse Reus van zo'n 8 kilo – stammen af van het Europese wilde konijn. Dit kwam oorspronkelijk alleen in de schrale, met struiken begroeide streken in Zuidwest-Europa voor. Om te overleven van het karige voedselaanbod

CHECKLIST

Ben ik geschikt om konijnen te houden?

Hier moeten beginners vanaf dag één op letten:

Zachte geluiden

✔ Konijnen zijn schuwe dieren. Ze schrikken van lawaai en drukke bewegingen. Benader ze altijd behoedzaam en spreek ze zachtjes aan.

Geduldig opvoeden

✔ Konijnen zijn plaatstrouw en gewoontedieren. Ze kunnen beslist dingen leren, maar niet te veel tegelijk.

Inzicht en begrip

✔ Konijnen willen graag knagen, graven en wroeten en niet alle dieren worden behoorlijk zindelijk.

moest het konijn een speciaal spijsverteringssysteem ontwikkelen, zoals de voor alle hazen en konijnen kenmerkende dubbele spijsvertering. Naast hun vaste keutels produceren de dieren zachte, zeer vitaminerijke, met slijm bedekte bolletjes, die ze meestal meteen weer opeten (→ blz. 46). Deze

> *Uit dezelfde familie: een reus en een dwerg.*

blindedarmkeuteltjes zijn essentieel en maken overleving in voedselarme streken mogelijk.

Voedseldieren voor onze voorouders: toen de Feniciërs zo'n 3000 jaar geleden de kleine, grijze, wilde konijnen op het Iberisch Schiereiland aantroffen, ontdekten zij hoe smakelijk hun vlees was. Zij verwarden het konijn echter met de klipdas uit hun Syrische vaderland en noemden het nieuwe land 'i-shepan-im', eiland der klipdassen. De Romeinen namen de onjuiste naam over in hun taal en gaven het Iberisch Schiereiland de naam Hispania. Als welkome aanvulling op hun menu hielden zij de halfwilde konijnen in ommuurde tuinen, de zogenoemde leporaria. In de Middeleeuwen verklaarden kloostermonniken het smakelijke konijnenvlees tot vleesloze kost, zodat ze het ook tijdens de vasten mochten eten.

Domesticatie en fok: de konijnen werden pas tammer en aanhankelijker toen men ze in hokken begon te houden. Dat bracht ook veranderingen bij de konijnen teweeg. Ze werden aanzienlijk groter en zwaarder dan de wilde konijnen. Door een gerichtere fok ontstond bijvoorbeeld het Angorakonijn, dat ons de prachtige wol levert. Geleidelijk ontstonden er zo meer dan 400 konijnenrassen met verschillen in postuur, gewicht, haarlengte en kleuren.

Late zegetocht tot huisdier: pas rond 1950 stalen de tot dan toe in hokken gehouden konijnen het hart van mensen en werden ze als huisdier gehouden. Na de hond en de kat staat het konijn nu op de derde plaats van favoriete huisdieren, maar ook van asieldieren.

Konijnenrassen

Vlaamse Reus, grijs en wit	5,5 – 7 kg	→ foto, blz. 8
Duitse Lotharinger	5 – 6 kg	
Hangoor	4,5 – 5,5 kg	

Middelgrote rassen:

Groot Zilver	3,25 – 5,25 kg	
Rode Nieuw-Zeelander	3 – 5 kg	
Belgische Haas	2,5 – 4,25 kg	→ foto, blz. 10
Thüringer	2,5 – 4,25 kg	

Kleine rassen:

Sachsengold	2,25 – 3,50 kg	→ foto, blz. 11
Klein Chinchilla	2,25 – 3,25 kg	→ foto, blz. 10
Deilenaar	2,25 – 3,25 kg	→ foto, blz. 11
Klein Zilver	2 – 3,25 kg	→ foto, blz. 11
Papillon	2 – 3,25 kg	→ foto, blz. 35
Hollander	2 – 3,25 kg	
Tan	2 – 3,25 kg	→ foto, blz. 11
Siamees	2 – 3,25 kg	

Dwergrassen:

Dwerghangoor	1 – 2 kg	→ foto, blz. 18
Hermelin	1 – 1,5 kg	
Kleurdwerg	1 – 1,5 kg	→ foto, blz. 22

Rassen met een bijzondere haarstructuur

Kort haar:

Rex	2,5 – 4,5 kg	
Kleurdwerg met rexbeharing	1 – 1,5 kg	

Lang haar:

Angorakonijn	2,5 – 5,25 kg	→ foto, blz. 11
Voskonijn	2,5 – 4 kg	
Jamora	1,50 – 2,5 kg	
Kleurdwerg met vosbeharing	1 – 1,50 kg	

Satijn:

Satijn	2,50 – 4 kg	→ blz. 12
Kleurdwerg met satijnbeharing	1 – 1,5 kg	

Er zijn op dit moment 72 erkende konijnenrassen, die in uiteenlopende kleuren en haarlengte gefokt worden. Al met al zijn er meer dan 400 verschillende raskonijnen. De tabel is ingedeeld naar haarstructuur en lichaamsgewicht en geeft het laagste en hoogste gewicht aan. In alle gewichtsklassen zijn er naast konijnen met normale, staande oren ook dieren met hangoren.

Normaal haar: de vacht lijkt qua lengte en structuur op die van het wilde konijn. Hij is dicht en ligt plat naar achteren. Hij bestaat uit onderwol, licht uitstekend dekhaar en het langere (30-60 mm lang) bovenhaar. De meeste konijnen hebben zo'n vacht.

Lang haar: het Angorakonijn heeft een licht golvende, wollige vacht van minstens 60 mm lang. Het Voskonijn heeft een zijdezachte, gladde vacht van 50-60 mm lang. De zachte vacht van het Jamorakonijn is vaster dan die van het Angorakonijn en is 40-60 mm lang.

Kort haar: de haren staan recht omhoog. De dek- en bovenharen zijn even lang (16-20 mm). De vacht ziet er plucheachtig uit en voelt aan als zijde.

Satijn: kenmerkend zijn de dichte, fijne vacht, de dunne haarstructuur en satijnachtige glans. Haarlengte 25-30 mm.

Konijnen-portretten

De gefokte konijnenrassen vertonen een grote variatie in vachtkleuren, kleurpatronen, structuur en haarlengte, maar ook in lichaamsbouw en formaat.

Klein Chinchilla (klein ras). Voedster met haar zes weken oude jong, dat zich dicht tegen zijn moeder vleit. Dit ras ontleent zijn naam aan de chinchilla, een nachtdier uit Zuid-Amerika met een vergelijkbaar getekende vacht.

Belgische Haas, roodbruin (middelgroot ras). Hoewel dit elegante konijn genoemd wordt naar de haas, waarop hij ook erg lijkt, is het toch echt een konijn.

Tan (klein ras). Andere kleurschakeringen zijn zwart of bruinig.

Sachsengold (klein ras). Een gedrongen konijn met een diepe roodgele vachtkleur.

Klein Zilver, zwart (klein ras). Andere kleuren: blauw, geel, bruin, havannabruin als onderkleur; de vachtharen hebben zilveren punten.

Deilenaar (klein ras). Konijn met een roodbruine vachtkleur, zwarte schakering door het bovenhaar, van onderen tankleurig.

Angorakonijn (langharig ras). Voedster met een kleintje van vijf weken oud. Dit ras levert ons de waardevolle angorawol.

Ogen open bij het kopen

In de eerste levensmaanden doen dieren belangrijke ervaringen op, die bepalend zijn voor hun verdere leven. Dan wordt ook de basis gelegd voor een harmonieuze relatie met mensen. Wat in deze ontwikkelingsfase wordt verzuimd, laat zich later nog maar moeilijk corrigeren. Anders dan bij honden wordt hier bij konijnen helaas nog weinig rekening mee gehouden.

Karaktertest: dit jonge Satijnkonijn vertoont geen spoor van angst.

Een partner voor geluk

Wilde konijnen in de vrije natuur leven met elkaar in kolonies. In de groep wordt zeer intensief met elkaar omgegaan, maar hierbij gelden wel strenge regels over de rangorde en het territorium. Om echt gelukkig te zijn, heeft uw konijn dus een soortgenoot nodig. De levenspartner moet wel passen en de wederzijdse kennismaking vergt een goede begeleiding. Veel mensen zeggen dat konijnen eenzelvig zijn, omdat ze elkaar niet verdragen. Dit is een volledig onjuiste conclusie, die alleen maar terug te voeren is tot menselijke fouten in de belangrijke gewenningsfase van het dier (→ blz. 29).

Gezond en vrolijk

Koop geen dier uit een nest met zieke konijnen. Let erop dat de vacht glanzend en dicht is, zonder kale plekken. De ogen moeten helder staan, de oren mogen geen smeer en korsten hebben, de neus moet droog zijn en de anus schoon.

Wie past bij wie?

Jonge dieren tot drie maanden, vooral nestgenoten, kunnen vanaf het begin in

TIP

Zo test u het karakter van konijnen

- Geen van beide ouderdieren is schuw en gedraagt zich agressief of angstig tegenover mensen.
- Een jong dier dat aan het geluid van zijn omgeving gewend is, laat zich zonder angst vastpakken.
- Het wennen aan kinderen en andere huisdieren slaagt sneller als een jong konijn in een vergelijkbare omgeving is opgegroeid.
- Als u een hand in de kooi houdt, moet het jonge konijn daar nieuwsgierig aan snuffelen en er niet voor wegvluchten.

dezelfde kooi worden gehouden. Koop geen konijntjes die jonger zijn dan zes weken! Dat is dierenmishandeling. De druk van de overplaatsing, de scheiding van nestgenoten en de vervroegde overgang naar vaste voeding maken de kleintjes gevoelig voor ziekten. Oudere konijnen die elkaar niet kennen, moeten eerst aan elkaar wennen (→ blz. 29).

Voedster en ram: beide kunnen goed met elkaar overweg. Maar wees voorzichtig – konijnen zijn in veel culturen niet voor niets het symbool van vruchtbaarheid. Ze zijn inderdaad binnen korte tijd al vruchtbaar. Daarom moet u het mannetje (ram of rammelaar) met circa drie maanden laten castreren. Maak dus tijdig een afspraak met uw dierenarts.

Twee mannetjes: als zij als jonge dieren aan elkaar gewend zijn geraakt en tijdig gecastreerd worden, is de relatie meestal harmonieus. Houd geslachtsrijpe rammelaars nooit bij elkaar, want zij kunnen hevig vechten om hun territorium en plaats in de rangorde te veilig te stellen.

> *Deze hechte groep speelt verstoppertje in kartonnen dozen.*

Twee vrouwtjes: zolang ze niet bronstig zijn, kunnen vrouwtjes (voedsters) die elkaar kennen, goed met elkaar overweg. Bij aanvallen tijdens de bronsttijd moet u ze tijdelijk van elkaar scheiden, of ze laten steriliseren. Helaas is steriliseren bij voedsters nogal riskant. Laat dit alleen doen door een zeer ervaren dierenarts.

CHECKLIST

Waar koop ik mijn konijn?

Bij de dierenwinkel
✔ Meestal worden hier dwergkonijnen of mengvormen daarvan aangeboden.

Via kleine advertenties
✔ Heeft als voordeel dat de dieren goed gesocialiseerd zijn en met andere huisdieren en kinderen zijn opgegroeid.

Bij een asiel
✔ Dit is een goed alternatief als u hier twee dieren ontdekt die elkaar al kennen en aardig vinden.

Bij een fokker
✔ Bij fokkers kunt u diverse rassen aantreffen. Neem contact op met een overkoepelende organisatie van fokkers (→ adressen in de bijlage).

Een goed ingericht verblijf

Konijnen willen zich in hun verblijf zeker en veilig voelen, maar hebben tevens een enorme behoefte aan bewegingsvrijheid, die alleen een groot buitenverblijf kan bieden. Ook grotere woningen kunnen nauwelijks volledig naar de wensen van een

Een ruif behoort tot de vaste accessoires en moet altijd gevuld zijn.

konijn worden ingericht en niet iedereen heeft een eigen tuin waar hij een buitenren kan neerzetten. Deze oplossingen doen mens en dier recht:

➤ De konijnen hebben hun eigen kamer waarin zij zich vrij kunnen bewegen. Dit is de meest luxe variant.

➤ Een deel van de kamer wordt afgescheiden en dient als loopruimte. Twee tot drie konijnen hebben circa zes vierkante meter nodig.

➤ De omgeving van de kooi is konijnproof. Zo kunnen de dieren vrij rondlopen en hoeft u ze slechts af en toe op te sluiten. Daarvoor volstaat een kleine kooi.

➤ Het konijn kan slechts beperkte tijd vrij rondlopen. Het konijn heeft dan beslist een grote kooi nodig.

De juiste kooi

Goede konijnenkooien zijn te koop in een dierenspeciaalzaak en bestaan uit een onderbak van kunststof en een afneembare kap met tralies.

➤ Koop geen kooi met een kunststof kap. De warmte blijft erin hangen en de urinelucht wordt onvoldoende afgevoerd, waardoor de dieren zuurstofgebrek kunnen krijgen.

➤ Het grondoppervlak voor twee konijnen (klein tot middelgroot) moet minstens 140-160 cm bij 80 cm zijn.

➤ Kies voor een hoog bovendeel, zodat de dieren voldoende ruimte hebben

TIP

Standplaats van de kooi

➤ Een kooi moet op een rustige plaats in de kamer staan. Te veel lawaai maakt konijnen schuw en bang.

➤ Zet de kooi nooit in de volle zon en 's winters niet in de buurt van een radiator. Konijnen krijgen snel een zonnesteek.

➤ Konijnen voelen zich het prettigst bij temperaturen tussen 12 en 22 °C. Ze houden van licht en luchtig, maar niet van tocht.

➤ Op een koude vloer moet u altijd isolatiemateriaal onder de onderbak leggen.

Een grote kooi (156 x 77 x 61 cm) met alle beschreven accessoires biedt genoeg plaats aan een klein en een middelgroot ras (hier nog jonge dieren). Praktisch: twee kleppen voor én boven.

om op hun huisje of zitplank te zitten. De dieren kunnen zich aan horizontale tralies optrekken en ertegen leunen. Omdat konijnen ook aan de tralies knagen, kunnen die het best verzinkt zijn. Bij zeer grote kooien kunnen de dieren door twee klapdeuren aan de voorkant de kooi in en uit. Twee kleppen bovenop maken het mogelijk de dieren uit de kooi te pakken.

➤ De onderbak moet circa 25 cm diep zijn, zodat grotere konijnen het strooisel niet door de kamer kunnen verspreiden.

➤ Huisjes en zitplanken bieden een goed uitzicht.

Goed ingericht

Voer- en waterbakken behoren tot de basisuitrusting van elke konijnenkooi en mogen nooit ontbreken. Andere voorwerpen in de kooi dienen om de dieren bezig te houden en zijn noodzakelijk voor hun welzijn. Deze accessoires zijn verkrijgbaar in een dierenspeciaalzaak.

Voerbak: het beste is een bak van geglazuurd aardewerk. Plastic bakken kiepen snel om en kunnen kapot worden geknaagd. Driehoekige bakken passen in een hoek, wat ruimte bespaart. Elk konijn heeft zijn eigen bak. Zet de bakken op verschillende plekken in de kooi.

Drinkfles: er zijn drinkflessen te koop van 450 ml inhoud. Het voordeel van zo'n fles is dat het water schoon blijft. Veel konijnen drinken echter liever uit een bak, waaruit ze hun dorst sneller kunnen lessen. Doordat ze hun kop natuurlijk

houden, kunnen ze beter slikken. Zet de bak wel op een circa 8 cm hoge steen, bijv. een stuk gasbeton, om te voorkomen dat het water door strooisel wordt vervuild.
Ruif: voor de dagelijkse portie hooi is een ruif zeer geschikt. U kunt deze zowel in als buiten de kooi hangen.
Toiletbak: de schaal is van kunststof en wordt met houtpellets gevuld. Hij moet staan waar de konijnen zitten en eten, want hier verteren ze hun eten.
Strooisel: gebruik als bodembedekking het liefst krullen van zacht hout, want die nemen de urine goed op. Daaroverheen komt een dikke laag stro. Kattenbakkorrels of turfmolm zijn ongeschikt als strooisel.
Huisje: een of twee huisjes met een plat dak behoren tot de basisaccessoires. Konijnen zijn holbewoners en moeten kunnen schuilen. Let er bij de aanschaf op dat de huisjes ook geschikt zijn voor grotere konijnen. Met een beetje handigheid maakt u zelf een huisje van multiplex, dat u met stukjes tak versiert (→ foto, blz. 4/5). Daarbij zijn de toegangsopeningen en het platte dak als uitkijkpost belangrijk. Houd er bij het grondoppervlak rekening mee dat konijnen zich graag uitstrekken.
Zitplanken: hang de zitplanken diagonaal of aan de lange zijden aan de tralies (→ foto, blz. 15). Konijnen houden van uitkijkposten en knagen graag aan het hout.
In- en uitklimmogelijkheid: bij een onderbak van 30 cm hoog kunnen stenen of houten trappetjes nuttig zijn (→ foto's, blz. 15 en 16).

Niet elk konijn kan over de rand van de onderbak springen (→ [Blz. 17).

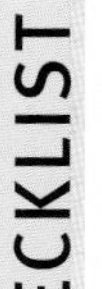

CHECKLIST

Alles konijnproof?

Knaagpreventie
✔ Leg elektriciteitssnoeren in kabelgoten of hang ze hoog. Verplaats kostbare tapijten en meubels zo mogelijk naar een andere kamer. Verwijder alles van de vloer waaraan geknaagd kan worden: kranten, cd's, schoenen, boeken enz. Dat geldt ook voor plantenbakken.

Uitglijden
✔ Konijnen hebben op gladde vloeren niet veel grip. Sisal-, kokos- of biezenmatten zijn ideale vloerbedekkingen, evenals oud tapijt.

Vallen
✔ Leg aan kinderen uit dat konijnen niet op een tafel horen, omdat ze eraf kunnen vallen. Voorkom dat de dieren een trap kunnen opgaan of bij een trapgat kunnen komen.

Ogen altijd open!
✔ Open en sluit deuren altijd langzaam en kijk altijd of er een konijn in de buurt is. De dieren springen graag op de bank en kruipen dan onder de kussens. Wees dus voorzichtig als u gaat zitten.

Houd toezicht
✔ Laat honden en katten alleen onder toezicht vrij rondlopen bij konijnen.

1 **Wie ben jij?**

Mijn eenjarige Papillon, Hannibal, heeft bezoek gekregen. Deze zeven weken oude dwerg wordt aan een controle van de anaalstreek onderworpen. Maar voordat Hannibal het in de gaten heeft, is de kleine pijlsnel onder een stoel verdwenen. Het is goed dat er tijdens deze gemeenschappelijke wandelingen veel schuilmogelijkheden zijn.

2 **Ik mag je graag!**

Na een lange tijd verstoppertje spelen en achter elkaar aan huppelen onder de bank, tussen dozen, onder het buffet en in de zandbak lassen beide een pauze in. Neus aan neus wordt er geknuffeld. Zoveel plezier bij het vrij rondlopen hebben konijnen alleen in een omgeving die hun zinnen prikkelt en waarin ze zich ook veilig voelen.

Vrij rondlopen

Ook een zeer ruime ren of kooi biedt niet de gewenste bewegingsvrijheid. Laat konijnen vrij rondlopen zodra ze gesetteld en niet schuw meer zijn. Zet in het begin alleen het deurtje van de kooi open en wacht af. De dieren bepalen zelf wanneer ze de kooi willen verlaten. Aandachtspunten bij het vrij rondlopen zijn:

➤ Konijnen zijn vluchtende dieren, die doorgaans open vlakten zonder schuilplaatsen mijden. Zet diverse kartonnen dozen waarin openingen zijn geknipt verspreid over de kamer. De bovenkant van de dozen moet zo stevig zijn dat de konijnen er niet door kunnen zakken als ze erop huppelen. Ook een stoel of een krukje met een doek erover biedt een ideale schuilplaats.

➤ Konijnen graven graag. Een als graafbak ingericht kattenbak is onontbeerlijk (→ foto, blz. 42).

➤ Leg een stuk hout met schors, verse twijgen met knoppen of bladeren en houten speeltjes in de kamer. De dieren kunnen dan naar hartelust knagen.

➤ Hang peterselie of paardebloembladeren aan een koord tussen twee stoelen. Dat maakt uw konijn fit, omdat hij zich daar ver voor moet uitrekken.

➤ Een spoor van lekkere hapjes leidt de dieren terug naar hun kooi.

Vragen over aanschaf en verzorging

Hoewel de kooi steeds openstaat, blijft mijn konijn maar in zijn hok. Als ik hem eruit haal, schiet hij onder een stoel. Is dat normaal?
Zeker niet. Maar uw konijn reageert van nature zo op een omgeving waarin het zich klaarblijkelijk onveilig voelt. U kunt ervoor zorgen dat het zich prettiger voelt: gedraag u in de buurt van de kooi rustig, maak geen lawaai, speel geen luide muziek en loop niet onrustig heen en weer. U kunt uw konijn beter met iets lekkers uit zijn kooi lokken dan hem er tegen zijn zin uithalen. Leg lekkere verrassingen, zoals paardebloembladeren, op diverse plekken in de kamer. Kartonnen dozen met gaten erin of stoelen met een kleed erover zijn aantrekkelijke schuilplaatsen. Verder moet u ook wat twijgen, stukken hout en stokken om aan te knagen over de kamer verspreiden. En denk ook eens na over een speelgenoot voor uw konijn: twee hebben veel meer plezier.

Mijn dierenhandelaar heeft mij een cavia als gezelschap voor mijn dwergkonijn aanbevolen. Is dat zinvol?
In principe niet. Hoewel ze beide van gezelschap houden, zijn konijnen en cavia's qua gedrag te verschillend. Dat kan tot misverstanden en gevechten leiden, waarbij de cavia gewoonlijk aan het kortste eind trekt. Het is beter uw konijn van meet af aan een soortgenoot te gunnen.

Je hoort vaak dat het geslacht van een jong konijn verkeerd wordt vastgesteld. Hoe kom ik daarachter?
Niet zelden verrassen konijnen van ogenschijnlijk hetzelfde geslacht op gegeven moment hun nietsvermoedende bezitters op wonder-

Deilenaar en Dwerghangoor. Hier in de leeftijd van een jaar en zeven weken.

baarlijke wijze met ongewenst nageslacht. Daarom moet u het geslacht eigenlijk tweemaal laten onderzoeken. Bijvoorbeeld in een dierenspeciaalzaak en door een dierenarts of een ervaren fokker. Wie het zelf wil controleren: ga zitten en pak het konijn met een hand bij zijn nekvel en leg het dier met de buik omhoog op uw schoot. Trek dan met de duim en wijsvinger de anaalstreek voorzichtig uit elkaar. De puntvormige anus ligt bij beide geslachten voor de staartwortel, ervoor, naar de buik toe, ligt de geslachtsopening. Bij mannetjes is deze eveneens puntvormig. Als u met uw vinger op de buik drukt, komt de penis naar buiten. Bij de voedsters is een spleetvormige geslachtsopening te zien.

? Wegens tijdgebrek wil mijn buurvrouw haar twee konijnen naar het asiel brengen. Ze zijn drie jaar oud. Kunnen zij bij mij intrekken?
Het is een geluk voor deze konijnen dat ze meteen een liefdevol nieuw tehuis vinden. De leeftijd vormt geen probleem. Konijnen kunnen tien jaar of ouder worden. Ze hebben dus beide nog een lange en mooie tijd voor de boeg. Informeer naar hun gewoonten en neem ook de hun vertrouwde accessoires over. De overplaatsing zal dan goed verlopen.

? Mijn dochter wil per se een dwergkonijn, maar ik wil een groter konijn. Wat raadt u ons aan?
Dwergkonijnen zijn klein en leuk, maar vaak ook nogal nerveus en schuw. Alle konijnen met hangoren vertonen veel sterkere zenuwen en hebben een rustiger temperament. Men zegt over het algemeen van grotere rassen dat ze evenwichtiger zijn.
U kunt het beste beiden het konijn van uw dromen uitzoeken en deze als jonge dieren meteen bij elkaar in een grote kooi houden. Dan zijn uw dochter en u allebei tevreden en de konijnen hebben een gelukkiger leven met elkaar. Een ideale combinatie → foto links: Dwerghangoor met een klein ras (Deilenaar).

MIJN TIPS

Monika Wegler

De inrichting van de kooi

- Een konijnenkooi moet ruim zijn. Als u geen grote ruime kooi wilt, kunt u ook twee kleinere met elkaar verbinden. Voordeel: bij geruzie kunt u de dieren gemakkelijk van elkaar gescheiden houden.
- Een plankje dat op borsthoogte van de konijnen op een stabiele plank op de bodem wordt bevestigd, verdeelt de kooi in tweeën en dwingt de bewoners eroverheen te springen. Dit houdt ze automatisch fit.
- Konijnen houden van uitkijkposten. Zitplankjes en huisjes met een plat dak dragen bij aan hun welzijn (→ foto, blz. 15).
- Hang twijgen om aan te knagen boven in de kooi. De dieren moeten zich ernaar uitrekken. Dat zorgt voor afwisseling, prikkelt de zinnen en traint de spieren.

Kennismaking

Op weg naar nieuw geluk

De dagelijkse beslommeringen achterlaten, de sleur ontvluchten en vreemde landen ontdekken – daar dromen velen van ons van. Voor een konijn betekent verandering van de bekende omgeving en weg van vertrouwde soortgenoten juist vreselijke stress.
Als vluchtdier moet hij alles in zijn territorium goed kennen, zodat hij in een fractie van een seconde kan schuilen als er plots een vijand opduikt.
Als het konijn pas bij u in huis is, reageert het aanvankelijk onzeker en angstig. Dit is heel normaal gedrag. Toon nu veel geduld en begeleid het dier met liefde en begrip. Het zal zich dan snel goed en geborgen voelen in zijn nieuw huis.

Deze jonge Dwergsiamees probeert zo de aandacht van de oudere ram te trekken, maar deze vertoont weinig interesse.

Veilig naar huis

Vervoer uw nieuwe konijnen bij het overbrengen alleen met een goede transportbox. Een open boodschappenmand of een kartonnen doos zijn volstrekt ongeschikt omdat ze er zo uitspringen. Bij elke dierenspeciaalzaak zijn lichte, stevige transportboxen van kunststof te koop. Deze dichte boxen, die meestal bovenop of van voren een traliedeurtje hebben, geven het konijn een gevoel van geborgenheid. Koop geen te kleine box: jonge konijnen worden groter en u zult de box later beslist nog eens nodig hebben als u naar de dierenarts gaat of met uw konijn op reis moet. Konijnen leven in een wereld van geuren: de geur van vertrouwd strooisel in de box vereenvoudigt de omschakeling en gewenning. Hetzelfde geldt in het begin ook voor het voer. Neem genoeg vertrouwd voer mee om omschakelingsproblemen te voorkomen.

Rustig wennen

Zet het nieuwe gezinslid na thuiskomst direct in de volledig ingerichte kooi en laat het dier voorlopig met rust. Observeren is toegestaan, maar pak het dier niet op en loop er niet mee rond in deze gevoelige gewenningsfase. Als u het in de kooi moet beetpakken, moet u zich eerst even 'voorstellen'. Kom langzaam dichterbij, zak door de knieën en spreek het konijn vriendelijk toe. Grijp het dier eerst steeds door het deurtje aan de voorzijde gebruiken en open de klep bovenop pas later. Bij te veel onrust en lawaai probeert het nog onzekere konijn zijn huisje binnen te vluchten. Genegenheid kunt u niet afdwingen. Stel uw geduld op de proef tot de angst voor het aanraken is afgenomen en het dier uit eigen beweging toenadering zoekt. Het zal echt niet lang duren voor uw konijn zich ter begroeting aan de tralies omhoog strekt, wat lekkers uit uw hand neemt, u besnuffelt, zich over zijn kop laat aaien en achter zijn oren laat kroelen.

Aan elkaar voorstellen

Pak een konijn nooit, als een roofvogel, onvoorbereid van boven uit zijn kooi! Steek altijd eerst langzaam, op gezichtshoogte een licht gesloten hand naar binnen om die te laten besnuffelen. Wacht dan even.

1

Lichaamscontact

Leg nu uw hand behoedzaam op zijn rug. Aai het dier een paar maal en praat er rustig tegen. Hierdoor ervaart het deze aanraking als aangenaam en is het erop voorbereid te worden opgetild. Open dan de bovenklep van de kooi.

2

Goed optillen

Pak met de rechterhand het losse vel tussen de schouderbladen – knijp niet met enkele vingers in de huid! Ondersteun bij het optillen direct met uw linkerhand de billen en achterpoten van het konijn om het dier van zijn eigen gewicht te ontlasten.

3

Veilig dragen

Draag het konijn in de linker, geknikte onderarm. Om te voorkomen dat het plotseling van uw arm springt, blijft uw rechterhand op de rug van het dier liggen. Erg onrustige konijnen drukken hun kop daarbij graag in de elleboogholte.

4

Konijnen en kinderen

Kinderen knuffelen graag met konijnen. Hun lievelingen moeten overal bij zijn. Ze dragen ze het hele huis door en laten ze vol trots aan hun vriendjes zien. Veel ouders vinden dat allemaal goed, omdat zij konijnen ten onrechte zien als ideale troeteldieren. Maar de eerder stille, bange dieren en de luidruchtige, levenslustige kinderen begrijpen elkaar niet goed. Konijnen hebben als vlucht- en prooidieren een onopvallende lichaams- en klanktaal ontwikkeld. Dat is beter dan dat de dieren luidruchtig zijn en dat met hun leven moeten bekopen. Maar juist deze 'konijnentaal' vereist geduldig toekijken en een omgang die kinderen zwaar valt: afblijven, kijken en wachten. Voor kinderen tot 7 jaar zijn katten betere speelkameraadjes. Vanaf die leeftijd kunnen kinderen beter vertrouwd worden gemaakt met de eisen die konijnen stellen en de verantwoordelijkheid voor ze nemen. Vertel als ouders over de geheel andere belevingswereld van konijnen en leg hun gedrag uit. Maar ontsla kinderen niet van hun verantwoordelijkheid. Blijf liefdevol, maar zonder meer consequent. Ik heb altijd gekeken of mijn kinderen hun plichten, zoals voeren, voer halen, dieren los laten lopen en de kooi schoonmaken, altijd zijn nagekomen.

Voor jongere kinderen is een Dwerghangoor zeer geschikt.

Konijnen en andere huisdieren

In veel huishoudens leven twee of meer diersoorten samen. Dat kan aantrekkelijk zijn, maar u mag met uw eigen ideaalbeelden van harmonie niet te veel vragen van de dieren. De beperkingen worden al gauw duidelijk waar diersoorten zeer verschillend zijn van karakter en gedrag. Speciaal voor konijnen bestaat er een potentieel risico als zij samen met 'roofdieren' onder een dak leven. Maar onder gunstige omstandigheden kunt u ook een hond en kat met succes aan een prooi- en vluchtdier zoals het konijn laten wennen.

Honden: de verschillende hondenrassen vertonen een duidelijk verschil in gedrag: zo leren Kromforländers en Leonbergers veel gemakkelijker om in een konijn geen prooidier te zien dan energiebundels als Jack Russell Terriers. Doorgaans zijn alle goed opgevoede, rustige en evenwichtige honden zonder ingeworteld jachtinstinct geschikt als metgezel voor een konijn.

Katten: onder de katten zijn vooral de Perzische Langhaar en de zachtaardige Britse Korthaar goede kameraden. De zeer levendige Abessijn, Burmees en Siamees zijn daarentegen wel erg intelligent, maar hebben een slecht

in te tomen jachtdrift. Grotere konijnen zijn in het voordeel omdat ze zich niet zo snel laten intimideren.
Volièrevogels: vogels in huis vormen normaliter geen direct gevaar voor konijnen. Maar het doordringende fluiten van een Japanse nachtegaal of het luide gekras van een papegaai is bepaald geen weldaad voor de uiterst gevoelige oren van een konijn. Het is aan te raden de dieren in verschillende kamers onder te brengen.
Cavia's: cavia's leven net als konijnen in de natuur in groepen en hebben intensieve sociale contacten met hun soortgenoten. Voor beide soorten geldt dat ze een ingeworteld vluchtgedrag hebben. Omdat hun 'taal' sterk verschilt, kan een cavia niet als vervanging dienen van een konijn.

Hond en konijn aan elkaar laten wennen

Algemeen geldt dat pas met de training kan worden begonnen als uw konijnen gesetteld zijn en zich veilig voelen in hun omgeving. Geduld en de juiste aanpak vanaf het eerste begin zijn de bouwstenen voor een later vreedzaam samenleven:

➤ wrijf zowel het konijn als de hond met een katoenen doek af en laat de dieren dan aan de doek van de ander snuffelen. Aai beide altijd direct na elkaar, zodat ze kunnen wennen aan elkaars geur en geuroverdracht kan plaatsvinden.

➤ Voordat beide dieren elkaar ontmoeten, speelt u met de hond totdat hij moe is. Laat hem dan aangelijnd aan de transportbox met het konijn snuffelen, waarna hij moet gaan liggen. Als hij zich

Deze Teckel heeft geleerd dat je naar Flappie mag kijken, maar er niet op mag jagen.

CHECKLIST

Vertrouwt mijn konijn mij?

Begroeting

✔ Meestal komt het konijn bij voedertijd naar de tralies toe en trekt zich daaraan op.

Met de hand voeren

✔ Als het vrij rondloopt, neemt het konijn graag hapjes uit de hand als u het roept.

Vragen om geaaid te worden

✔ Het konijn geniet ervan door u geaaid te worden en vraagt er af en toe zelf om door tegen u aan te duwen.

Nieuwsgierigheid en vertrouwen

✔ Als u het in de kooi aanraakt, besnuffelt het nieuwsgierig uw hand en vlucht het niet in zijn huisje of ontwijkt het contact.

fatsoenlijk en rustig gedraagt, prijst u hem en geeft hem een beloning. Als hij aan de box krabt en luidkeels blaft, roept u hem met een scherp 'nee' en 'af' tot de orde en laat u hem opnieuw liggen. Stop na zo'n vijf minuten met de oefening, leid de hond uit de kamer en speel met hem. Herhaal deze oefening één keer per dag.

➤ Zodra beide dieren elkaar hebben leren kennen en zich rustig tegenover elkaar gedragen, laat u het konijn voor het eerst vrij rondlopen terwijl u met de hond aan de lijn door de kamer loopt.

➤ De meeste honden leren snel dat konijnen taboe zijn en dat er leukere speeltjes zijn. Desondanks moet ook later elke ontmoeting onder toezicht plaatsvinden.

Mijn kat wast liefdevol de oren van zijn vriend konijn.

Kat en konijn aan elkaar laten wennen

➤ Net als bij de hond helpt de geuroverdracht met behulp van een katoenen doek bij het opbouwen van een vertrouwensband tussen kat en konijn.

➤ Het konijn blijft in de box als de kat voor het eerst in de kamer wordt gelaten. Bij mij worden de nieuwe konijnen in het begin altijd door een traliedeur van de kat gescheiden, zodat de dieren elkaar zonder risico kunnen zien en ruiken. Ook hier wordt positief gedrag door prijzen, aaien en iets lekkers versterkt. Beperk de oefentijd tot dagelijks vijf minuutjes.

➤ Verdragen beide partners elkaar, dan volgt het vrij rondlopen. Vooropgesteld dat het konijn zijn omgeving kent en in geval van nood kan vluchten. Op de vloer uitgestrooid lekkers bevordert zijn welzijn. Straf katten die zich klaarmaken voor een aanvalssprong of nekbeet af door te spuiten met een plantenspuit – ook als de aanval speels bedoeld is. De harmonie tussen katten en konijnen is geen hekserij: al mijn zeven katten leven vriendschappelijk met twee konijnen samen. En ik zie steeds weer hoe een kat zich tegen een konijn aanvleit en hem likt, waarvan zijn ongelijke partner zichtbaar geniet (→ foto, links).

De lichaamstaal

Actie	Lichaamstaal	Betekenis van het gedrag
Rechtop zitten	Hurkt op de achterpoten, lichaam in de hoogte gestrekt.	Verkennen van de omgeving, geuren opnemen, hoog hangend voedsel bereiken.
Zijsprongen maken	Met snelle sprongen wordt de lichaamsas veranderd.	Bliksemsnel van richting veranderen moet achtervolgers verwarren en afschudden.
Huppelen	Gelijkmatige korte sprongen, waarbij de achterpoten voor de voorpoten worden gezet.	Kenmerkende, matig snelle beweging van konijn. Tijdens het vluchten worden de sprongen groter.
Graven	Intensief wroeten met de voorpoten, de achterpoten schuiven en slingeren de aarde naar achteren weg.	Zo worden holen, ook wel burchten genoemd, gegraven, waarin wilde konijnen bescherming vinden en hun jongen opvoeden.
Krabben en wroeten	Krab- en wroetbewegingen met de voorpoten over de grond, ten dele als nutteloos gedrag.	Bij sterke opwinding. Drachtige voedsters wroeten in het strooisel. Uiting van dominantie bij rammen.
Zacht duwen	Zacht aantikken met de snuit van soortgenoten of vertrouwde mensen.	Vriendschappelijke begroeting, maar ook bedelen bij mensen om geaaid te worden.
Hevig duwen	Korte duwtjes met de snuit van onderen tegen de buik en flanken van soortgenoten of tegen handen van mensen.	Tegenover soortgenoten alleen een uiting van agressie. Tegenover mensen betekent deze afweerreactie dat het konijn direct met rust gelaten wil worden.
Vacht likken	Wederzijdse vachtverzorging in de groep.	Sociaal gedrag, bevestiging van een vriendschappelijke verhouding.
Handen/voeten likken bij mensen	Herhaald likken met de tong.	Het toont zijn genegenheid en wil de mens ook verzorgen.
Wentelen	Uitgebreid wentelen en draaien van het lichaam in de zandbak.	Gedrag als het zich prettig voelt; de vacht reinigen van vuil en parasieten.
Roerloos blijven liggen	Lichaam is tegen de grond gedrukt, de flanken bibberen, oren plat naar achteren, ogen wijd opengesperd.	Zich dood houden, uiting van extreme angst, bij overschrijding van de toegestane afstand een panische vlucht.
Hurkhouding	Rustige zithouding, waarbij de oren meestal plat naar achteren liggen.	Een atypische houding.
Languit liggen	Ontspannen lichaamshouding; de achterpoten zijn naar achteren gestrekt, de kop wordt neergelegd.	Volledig ontspannen. Het dier voelt zich goed en veilig; stoor het in geen geval.

Kleine levenskunstenaars

Hoewel elk konijn een geheel eigen persoonlijkheid ontwikkelt, vertonen alle tamme konijnen nog het oorspronkelijke gedrag van hun in het wild levende voorouders. Het is daarom belangrijk daar veel over te weten, zodat u als houder van konijnen op de juiste manier op hun gedrag reageert.

Altijd op hun hoede

Wilde konijnen moeten voor veel vijanden op hun hoede zijn. Niet in de laatste plaats maken ook mensen jacht op konijnen, waar die ook maar in het veld rondhuppelen. Toch zijn de populaties van deze levendige dieren geenszins in gevaar – in tegendeel! Hun overlevingsstrategieën zijn eenvoudig, maar verbluffend succesvol.

Vijand in zicht? De grote oren werken als een radar en waarschuwen ook in het hoge gras voor dreigend gevaar.

Kinderzegen: nakomelingen – zo veel en zo vroeg mogelijk. Een voedster is uiterlijk vanaf haar 15e levensweek geslachtsrijp. Zij kan met zes worpen per jaar circa 30 jongen ter wereld brengen. Kort na de 30 dagen durende draagtijd is zij opnieuw paringsbereid. Deze buitengewone vruchtbaarheid compenseert de hoge sterfte in de eerste twee levensjaren.

➤ Consequentie: ga er bij een paartje niet vanuit dat de nog zogende voedster niet bereid is om weer gedekt te worden. Laat rammen zo vroeg mogelijk castreren.

Holen bouwen: wilde konijnen brengen een groot deel van hun leven door in hun circa 100 m^2 grote gangenstelsel. Dat bestaat uit een hoofdingang, veel gangen en tot zo'n 50 uitgangen. Het dient als rustplaats, toevluchtsoord tegen vijanden en slecht weer, als kraamkamer en school voor de jongen.

➤ **Consequentie:** uw konijnen hebben huisjes en andere schuilplaatsen nodig, waarin zij zich om te rusten en bij gevaar kunnen terugtrekken. Het graven in de grond is de dieren aangeboren. Een aardhoop moet zonder meer deel uitmaken van een buitenverblijf. De bodem van een buitenverblijf moet beveiligd zijn tegen uitbraak (→ blz. 52). Zorg in huis voor een zandbak waarin het konijn ter afleiding kan graven. Dat spaart het tapijt.

Groepsleven: veel ogen, oren en neuzen zien, horen en ruiken de vijand eerder. De groep is de levensverzekering van konijnen. Meer nog: de sociale contacten met soortgenoten zijn een basisbehoefte. Alleen zijn betekent voor konijnen verlies van levenskwaliteit en leidt op den duur tot gedragsproblemen en ziekten.

➤ **Consequentie:** nooit alleen, maar met zijn tweeën en bij voldoende ruimte een groep van drie tot vijf dieren: of slechts gecastreerde rammen, of twee voedsters en een gecastreerde ram. Een groep van alleen maar voedsters is af te raden.

Eerste toenadering

1

Konijnen die vreemd zijn voor elkaar en elkaar niet als jonge dieren hebben leren kennen, moeten goed aan elkaar wennen. Zet de kooien zo tegen elkaar dat ze elkaar kunnen zien en ruiken.

Geuroverdracht

2

Om de geuroverdracht nog te bevorderen, tot beide vertrouwd ruiken voor elkaar, zet u de dieren afwisselend in elkaars kooi. Veeg de dieren na elkaar af met een katoenen doek. U ziet dat het konijn er direct op reageert.

Flirten

3

Nu mag het ene konijn loslopen, terwijl het andere in de kooi blijft. Zolang ze proberen zich door de tralies te bijten en op te springen, moet er nog geoefend worden. Goede tekens zijn vriendelijk snuffelen (zoals hier) en een algemeen rustig gedrag.

Vriendschap sluiten

4

Laat de dieren de eerste keer op neutrale grond, in een voor de dieren nog onbekende kamer, gezamenlijk vrij rondlopen. Zo komt het niet tot territoriumverdediging. Om de kennismaking aangenaam te laten verlopen, deelt u knabbelgoed uit en biedt u uitwijk- en terugtrekmogelijkheden.

Gedragsgids

Konijnen

Kent u de taal van konijnen? Hier leert u wat uw konijn met zijn gedrag wil zeggen ? en hoe u daar goed op reageert →.

Met grote sprongen vlucht het konijn de struiken in.

? Bij gevaar kunnen de dieren in korte tijd een snelheid tot zo'n 50 kilometer per uur halen.
→ Zorg steeds voor voldoende schuilgelegenheid.

Het konijn gaat rechtop zitten. Het kijkt of alles veilig is.

? Zo krijgt het een beter overzicht.
→ Als de rand van de onderbak van de konijnenkooi te hoog is, wordt het uitzicht belemmerd. Zorg voor een verhoogde zitplaats.

Alle konijnen willen verhoogde uitkijkposten.

? Ze hebben dan een nog beter uitzicht dan als ze rechtop zitten.

➜ Geef uw konijnen in een buitenverblijf een boomstam, een aarden heuvel of een overdekte zitplaats.

De vacht wordt dagelijks meermaals gepoetst.

? Zo voelt het konijn zich goed en is het bij slecht weer goed beschermd.

➜ De vacht niet verzorgen kan op ziekte wijzen.

Het konijn verstopt zich tussen de brandnetels.

? Dit dier is geschrokken en zoekt instinctief bescherming.

➜ Elk konijn heeft voor zijn welzijn een hok, hol of een met stro gevulde kist nodig.

Zo rusten konijnen uit en ontspannen ze zich.

? Konijnen vertonen dit gedrag alleen als ze zich veilig voelen.

➜ Stoor het dier op zo'n moment absoluut niet.

De snuffelwereld van konijnen

Wilde konijnen houden zich overdag voornamelijk in ondergrondse verblijven op, waar ze voor de meeste vijanden veilig zijn. Ze komen normaal alleen onder de bescherming van de ochtend- en avondschemering naar buiten om voedsel te zoeken – de 'geciviliseerde' en weinig schuwe, overdag actieve bewoners van groenvoorzieningen vormen hierop een uitzondering. De konijnen werden gedwongen een communicatiesysteem te ontwikkelen dat in de duisternis functioneert en tegelijkertijd zo geruisloos is dat geen roofdier ze als buit kan lokaliseren. De dieren hebben dit op een unieke en overtuigende wijze opgelost: ze verzamelen informatie met behulp van geuren. Ze communiceren met hun neus en ook hun afscheidingen lijken op geurige visitekaartjes.

Zo'n vriendelijk klapje op de neus krijgt alleen een soortgenoot waarvan de vertrouwde geur bekend is.

Geurende visitekaartjes

➤ Wie zijn konijnen observeert, kan al snel vaststellen dat hun neus voortdurend in beweging is. 'Neuzelen' noemen konijnenhouders deze voortdurende snuffelacties. Door de bijna 100 miljoen reukcellen in hun neusslijmvlies kunnen de dieren zelfs de geringste geurtjes waarnemen. Geuren verraden hun vijanden al als deze zelfs nog niet in zicht zijn. Aan de hand van de geur van afscheidingen kunnen zij vreemde en bevriende soortgenoten van elkaar onderscheiden.

➤ Aan weerszijden van de geslachtsopening liggen de liesklieren, die een zoetige geur verspreiden die ook voor mensen te ruiken is. Deze geurstof vertelt of een ander konijn tot de eigen familie behoort of niet en van welk geslacht de soortgenoot is. Een ram kan er ook uit opmaken of een vrouwtje paringsbereid is. Omgekeerd heeft de urine waarmee hij zijn uitverkorene besproeit, zijn persoonlijke geur.

➤ Konijnen voorzien hun keutels van de geurstoffen uit hun anaalklieren en markeren met deze geurvlaggen de grenzen van hun territorium.

➤ De afscheiding uit de kinklieren is voor mensen niet waarneembaar. Konijnen markeren daarmee voorwerpen in hun omgeving door er met de onderzijde van de kin over te wrijven. Zo geven zij aan op welk gebied zij aanspraak maken en dit geeft ze meteen een gevoel van zekerheid.

Is mijn konijn gelukkig?

	Ja	Nee
1. Gunt u uw konijn dagelijks verse twijgen en hout om aan te knagen?	☐	☐
2. Kunt u er mee leven als u af en toe knaagsporen ontdekt en ook een keer het telefoonsnoer wordt doorgeknaagd?	☐	☐
3. Mogen uw dieren regelmatig en elke dag vrij rondlopen?	☐	☐
4. Bent u vaak met ze bezig en aait u een konijn als het bij u op de bank springt?	☐	☐
5. Leven uw konijnen in een groep (met z'n tweeën of beter met z'n drieën)?	☐	☐
6. Kunnen uw dieren naar hartelust in een zandbak graven en wroeten?	☐	☐
7. Beschikken ze tijdens het vrij rondlopen over genoeg schuilplaatsen?	☐	☐

Evaluatie: 7 maal Ja: gefeliciteerd! Uw konijnen voelen zich heel goed. **5-6 maal Ja:** alles is in orde. Als u nog wat meer aan de wensen van uw dieren tegemoetkomt, zal dat uw band versterken. **Minder dan 5 maal Ja:** u geeft helaas te weinig gehoor aan de behoeften van uw konijnen.

Horen, zien, voelen en proeven

Oren: een konijn kan zijn oren als geluidstrechters onafhankelijk van elkaar bewegen en zo verschillende geluidsbronnen tegelijkertijd lokaliseren. Hangoren hebben door hun hangende oren een beperkt hoorvermogen.

Ogen: de ogen van het konijn zijn bolvormig en zitten opzij zo hoog in de kop dat zij zonder een beweging van de kop bijna 360 graden in het rond kunnen kijken. Zelfs vanuit de lucht kunnen vijanden daarom nauwelijks tot een verrassingsaanval overgaan.

Tastharen: aan de mond en neus zitten tastharen die onmisbaar zijn voor oriëntatie in de duisternis. Zij 'voelen' hindernissen en leveren informatie over de hoogte en breedte van inkruipopeningen.

Smaakpapillen: door een groot aantal smaakpapillen in de mondholte kan het konijn zoet, zuur, bitter en zout van elkaar onderscheiden.

Opvoeden met zachte hand

Ze knagen, graven en markeren: konijnen komen hun oeroude behoeften zo hardnekkig na dat zelfs de meest tolerante konijnenvrienden er vaak gek van worden – vooral bij het houden in

Een absoluut knaagverbod: berg alle snoeren veilig op!

huis. Maar in feite gedraagt een konijn zich naar zijn aangeboren instinct. Het is onzinnig het voor natuurlijk gedrag te bestraffen. Aanleren lukt alleen door snel reageren en wel net zo lang tot de huisregels worden opgevolgd.

Schoon en zindelijk

Konijnen moeten vrij in de woning kunnen rondlopen. Dat betekent dat ze zindelijk moeten zijn. Ze zijn al vertrouwd met de toiletbak in de kooi (→ blz. 16). Zet voor u het dier voor het eerst vrij laat rondlopen een tweede bak ergens in de kamer, zo mogelijk wat verstopt onder een tafel of in een hoek. Voor grotere rassen gebruik ik een ruime kattenbak met kap. Deze is met een mengsel van speelzand en kattenbakstrooisel gevuld en dient ook als graafbak. Leg ter herkenning na het schoonmaken altijd wat keuteltjes terug. Mijn konijnen wroeten en graven daar geestdriftig in. Bovendien blijft het tapijt gespaard.

➤ Laat tijdens het vrij rondlopen de kooi openstaan, zodat de toiletbak gebruikt kan worden.

➤ Zet nog niet zindelijke dieren altijd weer op de toiletbak. Elk wroeten en elke 'boodschap' verdient een beloning.

➤ Verwijder urinevlekken in tapijt meteen. Pepermunt- of citroenolie in water overheerst de urinelucht en voor-

TIP

De belangrijkste opvoedingsregels

- ➤ Lijfstraffen en toeschreeuwen zijn volkomen ongeschikte opvoedingsmethoden. De dieren worden handschuw en reageren agressief.
- ➤ Wel is de 'vermaning' met een plantenspuit geoorloofd. Spuit altijd vanaf een afstand, zodat de konijnen u niet met deze actie in verband kunnen brengen.
- ➤ Negeer geen behoeften, maar leid ze naar iets af waarop ze zich kunnen uitleven.
- ➤ Veel geduld en consequent handelen zijn de grondbeginselen van alle opvoedingspogingen.

komt dat dezelfde plaats nogmaals wordt gebruikt.

➤ Konijnen markeren graag bij mensen in bed. Bedden zijn dus taboe. Als u een boosdoener betrapt, jaagt u hem weg en vermaant hem met een gerichte straal uit een plantenspuit op zijn achterwerk.

Lekker knagen

Knagen is grootste passie van konijnen. Iedere bezitter heeft zijn lieveling wel eens op ongewenste knaagaanvallen betrapt. Houd uw konijnen altijd in de gaten. Houd de plantenspuit onder handbereik. Knabbelt een dier aan behang, tapijt, plinten of op bijzonder geliefde 'geheime' plaatsen onder het bed, de bank of achter een kast, richt dan onverbiddelijk een waterstraal op zijn achterste. Het konijn zal meteen stoppen met knagen en zich droogschudden. Lok het dier dan naar u toe en bied hem iets anders te knabbelen aan, zoals peterselie, paardebloembladeren of een cracker. Aai en prijs het dier dan met een langerekt 'gooeed'. Andere toegestane knabbels zijn: verse twijgen en ander natuurhout in alle maten en vormen.

Nadat het hem verboden is ergens aan te knagen, biedt u het konijn een twijg aan waaraan het wel mag knabbelen.

Zo leert een konijn

➤ Konijnen mogen op bepaalde plaatsen en aan bepaalde voorwerpen knagen, graven en markeren. Dit is een positieve leerervaring. Andere plaatsen en dingen veroorzaken na afleren een gevoel van onbehagen en worden in het vervolg vermeden.

➤ Zachte woorden, voer en aaien komen van mensen, dus kunnen ze mensen vertrouwen. De 'waterstraal' uit de verte wordt niet direct geassocieerd met de 'afstraffer'. Dit leidt dus niet tot wantrouwen.

➤ Als u een opvoedkundige maatregel met een luid handgeklap of met een scherp 'nee!' verbindt, begrijpen veel konijnen wel dat ze iets verkeerds hebben gedaan, maar zetten ze hun streken vaak stiekem voort.

➤ Zet woorden alleen in een positief verband bij spel en bezigheden in (→ blz. 54).

Vragen over gedrag

Mijn konijnenpaartje is altijd goed met elkaar omgegaan. Maar na de castratie van de ram wil zijn partner niets meer van hem weten. Wat is er gebeurd?
De verklaring is heel eenvoudig: het vrouwtje heeft aan het mannetje niet meer zijn vertrouwde geur geroken, maar de geur van de narcose- en ontsmettingsmiddelen. Daardoor heeft zij hem als een vreemde soortgenoot gezien en heeft ze hem aangevallen. Zet mannetjes na hun castratie daarom drie tot vijf dagen alleen in een andere kooi. Leg in plaats van het normale strooisel papier op de bodem. Zo kunnen er geen strosprieten in de nog verse hechtingen komen en zijn eventuele nabloedingen snel zichtbaar. Veel konijnen hebben na een narcose rust en warmte nodig, totdat de bloedsomloop en de lichaamstemperatuur genormaliseerd zijn. Wrijf de ram de volgende dagen in met oud strooisel, zodat hij weer de vertrouwde familiegeur krijgt. Pas dan mag hij weer naar zijn partner, liefst als ze samen loslopen.

Onze Tan is een echte vrijkous. Maar als ik langer met hem kroel, springt hij af en toe weg en schudt met zijn kop. Wat betekent dat?
Konijnen schudden altijd met hun kop als ze door een geur worden geïrriteerd of als er genoeg geknuffeld is. Draag bij het aaien geen parfum en voorkom dat u in contact komt met andere luchtjes die konijnen onzeker maken, zoals de geuren van vreemde honden en katten.

Mijn ram draait vaak om mijn benen heen en maakt daarbij zachte geluidjes. Wat wil hij daarmee zeggen?
Dit is duidelijk: hij flirt met u. Zo draait een ram om de vrouw van zijn hart, in dit geval u. Dit paringsritueel wordt opgewekt door hormo-

Pure levensvreugde betekent voor een konijn rondjes rennen en zijsprongen maken.

nen en veel konijnen laten het zien, of ze nu alleen worden gehouden of samenleven met soortgenoten.

Ik heb gelezen dat konijnen maar weinig geluiden maken. Mijn konijn praat juist veel met mij. Wat wil hij mij vertellen?
Konijnen zijn in feite nogal stille dieren. Het maken van geluiden moet bij hen altijd in samenhang met lichaamstaal worden gezien: voor een aanval kan een kort knorrend geluid klinken. Het lichaam stort zich pijlsnel naar voren, waarbij de oren plat naar achteren liggen en de staart gestrekt is. Bij ongewenste benadering of beetpakken mekkeren konijnen af en toe, gevolgd door meestal grommende, maar ook hoge geluiden. Bij vastgrijpen of uitgesproken doodsangst schreeuwen ze hoog en doordringend en proberen ze met man en macht los te komen. Als u bij het aaien heel stil bent, hoort u af en toe het malen van de tanden, dat aan het spinnen van een kat herinnert en aangeeft dat uw lieveling zich lekker voelt.

Mijn buurman toetert vaak als hij met de auto thuiskomt. Mijn konijn wordt daar opgewonden van en stampt heftig met zijn achterpoten op de vloer. Antwoordt het dan op het toeteren?
In zekere zin wel. Het luide toeteren ervaart uw konijn als gevaarlijk en beangstigend. Met het stampen van zijn achterpoten geeft het zijn opwinding aan en waarschuwt het soortgenoten voor het vermeende gevaar. Wilde konijnen verdwijnen daarna pijlsnel in hun hol.

Mijn beide nog jonge konijnen jagen steeds als wilden door de kamer en maken echte luchtsprongen. Waarom doen ze dat?
Vooral bij jonge dieren is luchtacrobatiek een duidelijk teken van levensvreugde. Tegelijkertijd werken ze aan hun conditie en oefenen ze voor later de af en toe belangrijke zijsprongen.

MIJN TIPS VOOR U

Monika Wegler

De belangrijkste omgangsregels

- Benader een konijn altijd langzaam en zonder drukke gebaren. Spreek het daarbij met vriendelijke, zachte stem aan.
- Pak een dier niet onvoorbereid in zijn nekvel vast. Het zal dan schrikken en het gevoel hebben door een roofvogel te zijn gepakt.
- Voor u het konijn in de kooi aanraakt en het vastpakt, moet u zich eerst 'voorstellen': houd de handpalm op kophoogte van het dier zodat het eraan kan snuffelen en uw geur kan herkennen.
- Konijnen hebben een vertrouwde omgeving nodig. Kleine veranderingen wekken hun nieuwsgierigheid op, maar van grote verplaatsingen in de kooi of van meubels worden ze onzeker en schrikachtig.

Fit en gezond

De juiste voeding

Het oorspronkelijke vaderland van konijnen zijn de schrale streken met struikgewas van het Iberisch Schiereiland. Ze hebben het daar overleefd omdat ze hun spijsverteringssysteem hebben aangepast aan de voedselarme plantenkost. Energierijk voedsel met een geringe hoeveelheid ruwe vezels is daarom ongeschikt voor konijnen en bevredigt hun kauwbehoefte niet.

Gezonde lekkere hapjes voor tussendoor: een sappige wortel.

Groen is troef

Wetenschappelijk is bewezen dat groene planten, zoals gras, bladeren en kruiden (vers en gedroogd, zoals hooi), de natuurlijkste en gezondste voeding is voor konijnen! Problemen worden veroorzaakt door bedorven voedsel of doordat de dieren een tijd gebrek aan vers groenvoer hebben gehad en daarvan een heleboel ineens hebben gegeten. Konijnen maken de meest intensieve kauwbewegingen bij het eten van groenvoer. Zo worden de voortdurend groeiende tanden natuurlijk afgesleten en de kauwlust voldoende bevredigt. Alle soorten grassen, paardebloemen en wilde en gekweekte kruiden zijn geschikt. Gewild zijn peterselie, veldsla, wilde peen en jonge bladeren van bosaardbeien. Als sappig voedsel: venkel, peen, bleekselderij, broccoli, aardpeer (loof en knol), witlof en sla. Van fruit hebben appels en peren de voorkeur. Verzamel vers groen alleen in natuurlijke, bloemrijke weiden en niet in wegbermen.

Vooral goed hooi

Hooi zorgt voor een goede 'darmwerking' bij konijnen

TIP

De belangrijkste voederregels

- Voer altijd veelzijdig, over de gehele dag verspreid, in kleine hoeveelheden.
- Pas de hoeveelheid voedsel aan de lichaamsgrootte en bewegingsintensiteit van het konijn aan. Regelmatige gewichtscontrole wordt aanbevolen (→ blz. 47).
- Stel altijd vers water ter beschikking.
- Was en droog al het voedsel goed. Beschimmelde, bevroren en bespoten voedingsmiddelen zijn taboe, evenals etensresten van de tafel.

(→ blz. 47). Het moet echter wel hoogwaardig kruidenrijk hooi zijn uit de dierenspeciaalzaak. Te oud, stoffig of schimmelig hooi kan tot gezondheidsproblemen leiden. De ruif in de kooi binnenshuis moet altijd gevuld zijn met hooi, waarvan het dier zoveel kan eten als het wil. De juiste knabbelkost: verse twijgen met knoppen en bladeren, vooral geliefd zijn twijgen van hazelnoot en haagbeuk en verder van linde, esdoorn en onbespoten fruitbomen. Bied knaagtwijgen naar behoefte aan en eenmaal per week wat crackers. Met knaagstokjes is het als chocolade bij kinderen: verleidelijk en zeer begeerd, maar vol calorieën.

Voedzaam droogvoer

Droogvoer is een sterk geconcentreerd krachtvoer. Te veel daarvan maakt dik. Let bij kant-en-klaar voedsel zoveel mogelijk op een vetarm en vezelrijk mengsel met een groot aandeel groene planten en groenten. En let bij aankoop van de producten ook op de uiterste houdbaarheidsdatum en de samenstelling. Vuistregel: bestanddelen die in de grootste hoeveelheden voorkomen, staan altijd bovenaan.

Bladpeterselie voor kleine fijnproevers.

Vers water

Water is het enige juiste vocht voor konijnen. Of in de drinkfles, of in de waterbak: het moet dagelijks vers zijn en mag niet ijskoud of te sterk gechloreerd zijn. Sappig voedsel alleen lest de dorst niet. De behoefte aan drinken verschilt per dier en hangt van het aangeboden voedsel, de omgevingstemperatuur en de luchtvochtigheid af.

CHECKLIST

Voer dat fit houdt

Voedsel zoeken

✔ Fitnessvoer: hang twijgen, peterselie en paardebloemen boven in de kooi of verstop ze als lekkere hapjes in de kamer, bijvoorbeeld in of op een doos (→ blz. 54/55).

Kauwbehoefte

✔ Hoe meer het dier te knabbelen heeft, hoe beter. Geef altijd goed hooi, twijgen en stukjes hout, met of zonder bast. Dat houdt de tanden kort en spaart de inrichting van uw woning.

Hapklaar

✔ Verdeel fruit en groente eerst in porties. Snijd wortels in de lengte door.

De verzorging

Met de juiste behandeling en gezonde voeding hebben konijnen slechts zelden nog hulp nodig bij hun lichaamsverzorging. Aan konijnen met een lange, zachte vacht moet u wel meer aandacht besteden. Het regelmatig schoonhouden van de kooi en alle voorwerpen daarin behoort tot de noodzakelijke voorzorgsmaatregelen tegen ziekte.

> *Voordat er wordt rondgelopen: naar de bak om te graven en voor de 'boodschap'.*

Gebitscontrole

Konijnentanden groeien het hele leven door, maar slijten bij een afdoende verzorging met groenvoer en knaagmateriaal op natuurlijke wijze af. Bij dieren met een aangeboren gebitsafwijking groeien de snijtanden buitensporig. Het gevolg hiervan zijn problemen bij de voedselopname en zeer veel pijn. Een dierenarts kan helpen door de tanden regelmatig korter te maken. Let bij de gebitscontrole ook op veranderingen van het tandvlees, de kiezen en een eventueel verhoogde speekselafscheiding. Ook kunnen zich daar harde voedseldeeltjes hebben vastgezet, die ontstekingen veroorzaken.

Korte nagels

Ook de nagels van konijnen groeien voortdurend. In de vrije natuur slijten ze af door het veelvuldig graven. Thuis helpt een platte tufsteen onder het zand in de zand-

Verzorgingsplan

Dagelijks

- ✔ Voerbakken met heet water wassen en drogen. Platgelopen stro met de hand opschudden, zodat de keutels eronder in het houtstrooisel terechtkomen.

Een- tot tweemaal per week

- ✔ Strooisel in de kooi en plasbak en zand in de zandbak volledig vervangen.
- ✔ Onderbak, plastic bakken en zitplanken met heet water afborstelen. Drinkfles met een speciale flessenborstel schoonmaken.
- ✔ De vacht van langharige konijnen met een speciale kam verzorgen (→ blz. 43).

Maandelijks

- ✔ Tanden, tandvlees, nagels en liesklieren controleren.
- ✔ Alle materialen met een biologisch ontsmettingsmiddel volledig schoonmaken.
- ✔ Gewicht controleren.

Zonodig

- ✔ Urineaanslag op de onderbak met citroenzuur (verkrijgbaar bij de apotheek) verwijderen. Een eetlepel citroenzuur per liter warm water werkt afdoende.

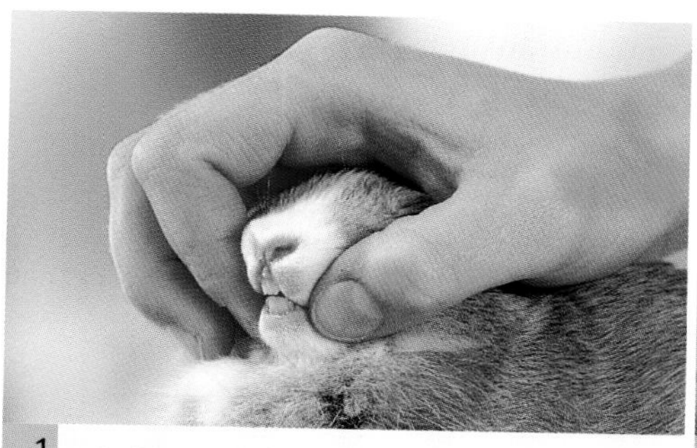

1 Gebitscontrole

Controleer, zoals hier afgebeeld, ongeveer eens per maand de tanden van uw konijnen. Bij voldoende knaagmateriaal slijten de steeds doorgroeiende tanden op natuurlijke wijze af. Alleen bij een aangeboren gebitsafwijking moet een dierenarts de tanden korter maken. Let bij de aankoop op eventuele afwijkingen.

2 Nagels knippen

Als u ziet dat de nagels van uw konijn te lang zijn geworden, moet u deze met een speciale nageltang knippen. Schuif de vacht naar achter en knip de nagels ongeveer 7 mm vóór het 'leven' (het doorbloede deel) in de groeirichting af. Beschijn donkere nagels van onderaf met een lamp.

bak tegen te lange nagels. Een steenhouwer kan voor u een plaat op maat uitzagen. Harde zandsteenplaten zijn niet goed omdat de nagels daarop kunnen afbreken.

Vachtverzorging

Zoals wij mensen ons 's winters in een dikke jas hullen en 's zomers wat luchtigs aantrekken, wisselen konijnen, die het hele jaar buiten leven, hun vacht met de seizoenen. Als de dieren in het gematigde klimaat van een woning leven, vindt de rui geleidelijk plaats. Bij hen zal borstelen helpen bij het natuurlijke haarverlies: borstel kortharige konijnen eens per week met een zachte borstel van natuurhaar met de haren mee om de afgestorven haren te verwijderen. De dieren genieten van deze massage. Kam langharige rassen, zoals voskonijnen, tweemaal per week. Angorakonijnen, Jamora's en alle mengvormen met een zachte vacht vragen dagelijks een beurt met een speciale kam met gekromde metalen 'tanden', zoals ook voor langharige katten wordt gebruikt. Angorakonijnen en Jamora's moeten elke drie maanden volledig worden geschoren door een dierenarts of in een trimsalon. Maak aan elkaar klevende haren aan het achterwerk met lauw water schoon of knip ze af. De liesklieren in de kale huidplooien bij de geslachtsopening scheiden een zoete geurstof af. Verwijder deze uitscheiding voorzichtig met een watje met babyolie. Zet een konijn nooit onder de douche of in bad.

Als het konijn ziek is

Als ze gezonde voeding en een goede verzorging krijgen, zijn konijnen kerngezond. Observeer uw dieren tijdens de dagelijkse gang van zaken nauwlettend, zodat u veranderingen in het gedrag of van het lichaam vroegtijdig opmerkt. Dat is belangrijk, omdat de kans op volledige genezing van elke ziekte groot is als een dierenarts haar tijdig behandelt.

Wie zo opgewekt en alert kijkt, kan niet ziek zijn.

Ziekteverschijnselen

Een opgewekt, zelfbewust karakter, een gezonde eetlust, een glanzende vacht, heldere ogen, een goede spijsvertering en plezier om uitgebreid te bewegen, te graven en te wroeten wijzen op een gezond konijn. De eerste symptomen van een mogelijke ziekte zijn de volgende veranderingen (→ blz. 12):

- Het konijn zit lusteloos gehurkt in een hoek van de kooi en heeft nauwelijks aandacht voor zijn omgeving.
- Het komt niet op het voer af en neemt slechts weinig of geheel niets tot zich.
- De keuteltjes zijn niet vast, maar week. Het achterwerk is smerig.
- De ogen staan dof, de haren zijn verward en de vacht heeft nog weinig glans.
- Het konijn knarst hoorbaar met zijn tanden.

In alle gevallen moet de dierenarts direct worden geraadpleegd.

Een afspraak met de dierenarts

Als u een beginnende konijnenhouder bent, vraag dan aan andere konijnenhouders of in een dierenspeciaalzaak naar een dierenarts die zeer bedreven is in het behandelen van konijnen. Bij twijfel

Natuurgeneesmiddelen, ook bij konijnen

- Kamillethee stopt lichte diarree. Als aftreksel ook om te inhaleren bij luchtwegaandoeningen.
- Goudsbloemtinctuur desinfecteert schrammetjes en bijtwonden en werkt ontsmettend.
- Sommige homeopatische middelen helpen bij lichtere maag- en darmstoornissen.
- In noodgevallen: Bachbloesemremediedruppels of korrels Arnica C30.
- Ogentroostoogdruppels geven verlichting bij lichte oogontstekingen.

Alleen gezonde dieren verzorgen regelmatig hun vacht. Het konijn bevochtigt met zijn tong zijn voorpoten en wast eerst grondig zijn snuit en dan de rest van zijn lichaam.

of een dier ziek is, mag u een bezoek aan de dierenarts niet uitstellen. Op de weg erheen moet het konijn in een transportbox zitten(→ blz. 22), waarin het ook in de wachtkamer blijft. Helaas zitten konijnen daar vaak gewoon op de arm of in een open mand. Met het oog op honden is dat niet alleen gevaarlijk voor de knagers, maar ook zenuwslopend. Opgave van leeftijd en geslacht van het konijn, eventuele vorige ziekten en natuurlijk de actuele ziekteverschijnselen vergemakkelijken voor de arts de diagnose. Informeer hem ook over het gegeven voer (met name gedurende de laatste 24 uur) en breng bij diarree ook een monster van de uitwerpselen mee.

Oudere dieren

Net als wij mensen zijn oudere konijnen niet meer zo beweeglijk en reageren ze gevoeliger op te grote veranderingen in hun omgeving. Toch is regelmatige beweging erg belangrijk, meer nog dan de maandelijkse gewichtscontrole en daarmee verbonden licht verteerbare kost. Bij een goede verzorging en voeding kunnen konijnen acht jaar en ouder worden (→ blz. 46). Als er geen uitzicht meer is op genezing en het dier hevige pijn lijdt, kan de dierenarts het konijn beter laten inslapen. Spreek daarover openlijk met uw kinderen en neem gezamenlijk afscheid. Misschien kunt u uw kleine vriend in uw eigen tuin begraven.

Vragen over voeding en gezondheid

Ik maak mij zorgen om mijn konijn. Het eet zo te zien zijn eigen keutels op. Is het ziek?
Er is geen enkele reden tot bezorgdheid. Uw konijn eet niet zijn normale keutels op, maar de zogenoemde blindedarmkeutels. Deze bevatten stoffen die belangrijk zijn voor de voeding en spijsvertering. Meestal zien we konijnen deze keuteltjes niet eten, omdat ze deze 'vitaminepillen' direct vanaf de anus opnemen. Soms treft u in het bodemstrooisel echter de vochtig glanzende, druifvormige uitwerpselen tussen de overige keutels. U mag uw konijn beslist niet beletten deze keutels op te eten. Gebreksstoornissen en ziekten kunnen dan het gevolg zijn.

Mijn voedster is zo'n negen jaar oud, maar wel gezond en fit. Hoe oud kunnen konijnen eigenlijk worden?
Het oudste konijn dat in de literatuur beschreven staat, heette Flopsy en werd achttien jaar oud. Bij een goede verzorging bereiken tamme konijnen in de regel een leeftijd van acht tot twaalf jaar. Wees blij dat uw voedster nog zo fit is, maar neem haar zeker toenemende behoefte aan meer rust in acht (→ blz. 45).

Mijn hangoorkonijn schudt sinds enige tijd steeds vaker met zijn kop en probeert zich daar te krabben. Wat veroorzaakt deze jeuk?
Deze verschijnselen duiden op de zogenoemde oorschurft, die door mijten wordt veroorzaakt. In de niet zo goed geventileerde hangoren vinden die een ideaal vochtig en warm klimaat. Daarom is bij hangoorkonijnen een regelmatige oorcontrole als voorzorgsmaatregel nodig. Ga direct met het met dier naar de dierenarts. Deze ziekte is weliswaar lastig en tamelijk besmettelijk, maar

Verse groente valt altijd goed. Maar bied niet te veel tegelijk aan.

kan met behulp van goede oordruppels bijna altijd goed behandeld worden.

De dierenarts vindt mijn dwergkonijn te dik. Kunt u mij tips voor een dieet geven?
Konijnen met overgewicht verliezen niet alleen hun aantrekkelijkheid maar sterven ook eerder dan hun soortgenoten, meestal aan een hartverlamming. Bij ongezonde voorliefdes is er nauwelijks verschil tussen mens en dier: ook konijnen houden van zoet en vet. Dus haal dikmakers, zoals droogvoer met veel granen en knaagstokjes, van het menu. Geef één dag in de week alleen maar hooi en water. Het dier geregeld laten loslopen en het veel laten bewegen bevorderen een goed gewicht. Verstop twijgen, groenvoer en andere lekkernijen of hang ze zo op dat het konijn zich er naar moet strekken. Veel succes!

Mijn konijn houdt vooral van komkommer. Is dit een gezonde kost voor het dier?
Met mate: de bijna altijd met schadelijke stoffen belaste schil van komkommers moet altijd worden verwijderd. Konijnen knabbelen graag aan komkommer, omdat hij zo lekker en sappig is. Echt vitaminerijk zijn komkommers bepaald niet. Maar wel caloriearm.

Klopt het dat konijnen niet, zoals wij mensen, kunnen overgeven en oprispingen kunnen hebben?
Dat is inderdaad zo en daarom is het zo belangrijk dat het konijn steeds alleen kleine porties, verdeeld over de dag, eet. Geef vooral goed hooi en vezelrijke kost, die de voedselbrij verder vervoert en daarmee gevaarlijke darmgassen verhindert. Het konijn heeft een betrekkelijk kleine, weinig gespierde zogenoemde stopmaag. Als deze een te grote hoeveelheid voedsel in één keer te verwerken krijgt, bijvoorbeeld vers groen of klaver, leidt dat onvermijdelijk tot een te volle maag. Het gevolg daarvan zijn sterke darmgassen, die in het slechtste geval tot de levensgevaarlijke trommelziekte kunnen leiden.

MIJN TIPS VOOR U

Monika Wegler

Waarheen met vakantie?

- Konijnen moeten zo min mogelijk op reis gaan: autorijden en wisseling van plaats en klimaat geeft ze veel stress.
- Denk tijdig aan een vakantieopvang. De tijdelijke verzorger moet ervaring met konijnen hebben.
- Aanwijzingen voor voederen en verdere verzorging verlichten de vakantieopvang. Schrijf uw vakantieadres en het telefoonnummer van de dierenarts op (aantekeningen, blz. 62).
- Ook dierenspeciaalzaken en dierenpensions nemen konijnen ter verzorging op. Laat u vooraf informeren over de voorwaarden en verzorging.
- Voor het geval u uw konijn toch moet meenemen: voor het buitenland kunnen inentingen en gezondheidsverklaringen verplicht zijn. Informeer hiervoor bij het consulaat van het land van bestemming.

Bezighouden

Vakantie op het balkon

Buiten zijn prikkelt de zinnen, en beweging in de frisse lucht versterkt hart en bloedvaten. Zelfs een klein balkon kan voor konijnen al het beloofde land worden. De belangrijkste basisregels

Al snel leert het konijn door een kattenluik te springen.

voor het houden op een balkon moeten daarbij in acht worden genomen. 'Uit het oog, uit het hart' is in elk geval een fout gezegde: verban uw konijnen nooit hun hele leven naar het balkon, omdat ze lastig zijn in huis. Het balkon betekent voor konijnen vakantie, afwisseling, buitenlucht en meer activiteiten.

Zo werkt het

Zo richt u uw balkon in zodat uw konijnen zich echt goed voelen:

- Dieren die tot dusverre alleen in huis zijn gehouden, moet u voorzichtig laten acclimatiseren. Pas in het voorjaar, als de temperatuur 's nachts niet meer onder 12 °C komt, kunnen de konijnen naar buiten.
- Heel geschikt is een balkon dat op het oosten, zuidoosten of zuidwesten ligt. Een balkon op het zuiden wordt 's zomers snel te warm. Aan de westzijde is het daarentegen bijna altijd te vochtig en te winderig.
- Konijnen zijn erg hittegevoelig en hebben absoluut een plekje in de schaduw nodig. Markiezen, parasols of een houten plaat tussen de muur en de borstwering kunnen hier voor zorgen. Let daarbij ook op de verandering van de zonnestand. Een noodzakelijke vaste voorziening is een behoorlijk doek dat beschermt tegen de regen.

TIP

Leuker wonen op het balkon

- Richt het balkon zo in dat het zowel u als de konijnen veel bewegingsvrijheid biedt.
- Ook dieren die op een balkon of in een ren leven, moeten dagelijks worden geaaid.
- Een gazen deur tussen de woning en het balkon is ideaal. Zo heeft u altijd zicht op uw konijnen, en zij op u.
- Met een kattenluik in de balkondeur kunnen de konijnen naar believen het balkon verruilen voor de vertrouwde woonruimte.

➤ Op een balkon met een betonnen vloer kunt u het beste een stro- of biezenmat leggen. Dat natuurlijke materiaal biedt de konijnen bij het lopen duidelijk meer houvast dan beton en tegels, beschermt ze tegen kou vanuit de vloer en veroorzaakt ook geen gezondheidsproblemen als eraan wordt geknaagd.

Zekerheid boven alles

➤ Vergeet niet dat konijnen zich door de smalste spleten kunnen dringen en tot 1,50 meter hoog kunnen springen. Een balkon met spijlen moet 'dichtgemaakt' worden en een te lage borstwering moet worden verhoogd. Belangrijk is – vooral als u konijnen op parterrehoogte onderbrengt – de bescherming tegen rondstruinende honden en katten. Sluit het balkon dus met volkomen knaagbestendig en verzinkt konijnengaas (maaswijdte 17 x 17 mm) af.

De inrichting

➤ Tot de basisinrichting van elk 'konijnenbalkon' behoren water- en voerbakken, twee waterdichte huisjes en natuurlijk de noodzakelijke zand- en speelbak die gelijktijdig als toilet kan dienen.

➤ Verveling kunt u men tegengaan met speelbruggen uit de dierenspeciaalzaak, stukken hout om aan te knagen, diverse grote stenen (gasbetonblokken zijn geschikt) en een met hooi en stro gevulde kist om in te liggen. Zitplanken van onbehandeld hout kunt u met schroeven aan de muur bevestigen, die bereikbaar zijn met een 'kippentrap'. Konijnen houden van zulke hoge zitplaatsen. Ook kleine boomstammen bieden een goede uitkijkpost. Als u een huurwoning heeft, zult u voor bouwkundige ingrepen toestemming moeten vragen aan de verhuurder.

➤ Andere bewegingen en afwisseling kunt u uw konijnen bieden met de speeltips in het hoofdstuk 'Spelen en leren' (→ blz. 54).

Vakantie onder een zonnescherm in Klein-Balkonië: een luxueuze graafplaats in een plantenbak, een sappig groene grasplag, een luierkist en een rustkrukje.

Veel plezier in de tuin

Hubert is een heel bijzonder konijn. Hij begeleidt dagelijks zijn baasje in de tuin, graaft met veel genoegen een gat in de plantenborder en knabbelt aan alles wat maar voor zijn neus komt. Als hij weer naar binnen wil, krabt hij aan de achterdeur.

Als ze er eenmaal aan gewend zijn, deren kou en sneeuw konijnen niet meer.

Hubert is zo aanhankelijk dat hij als hij wordt geroepen bijna als een hond volgt en niet wegloopt. Hubert is een uitzondering. Konijnen zijn nu eenmaal geen honden. En elke zomer hoor je weer de treurige verhalen van dieren die zonder toezicht vrij in een tuin rondliepen en plotseling uit het zicht verdwenen en nooit meer opdoken of later ergens dood werden aangetroffen. Opdat de zomervreugde in de tuin niet slecht eindigt, is er maar één oplossing: een geschikte, stevige buitenren die de dieren niet alleen veel afwisseling, maar ook de nodige bescherming biedt.

Voorbeelden van een ren

➤ Voor twee of drie konijnen moet het grondoppervlak van de ren minstens zes vierkante meter zijn.
➤ Zet de ren dicht bij huis, zodat u er goed zicht op hebt.
➤ Een boom is geschikt als natuurlijke schaduwbron. Anders moet een dak over de ren voor zonwering zorgen.
➤ Een verplaatsbare ren, zelf gebouwd of uit de dierenwinkel, heeft het voordeel dat u hem altijd op nieuwe, verse stukken gras kunt zetten. Een nadeel is dat u de ren slechts korte tijd uit het oog kunt verliezen, omdat hij niet veilig is tegen uitbraak.
➤ Een vaste buitenren, die een langdurig verblijf toestaat, moet aan een aantal veiligheidseisen voldoen. Vossen, katten en honden kunnen in een ren inbreken en de konijnen doden. Zowel de zijwanden als de bovenzijde moeten dus absoluut stevig zijn geconstrueerd en zijn voorzien van roestvrij gaas (17 x 17 mm maaswijdte). Uitgraven is te voorkomen met een 50 cm in de bodem ingegraven rand van gaas (maaswijdte 40 x 40 mm) die met de zijwanden verbonden is.
➤ Bij een vaste ren kan een afvoerpijp voorkomen dat de boden modderig wordt.
➤ Zand, schorsstrooisel, kiezel, aarde en gras op meerdere plaatsen zorgen voor plezier en een welkome afleiding.

Ook al is het maar voor enkele uren onder toezicht, een interessant ingerichte ren biedt frisse lucht en afwisseling.

Het schuilhok

In een vaste buitenren hoort een schuilhok, dat de konijnen bescherming biedt tegen wind, neerslag en kou. Het is volgens mij niet goed konijnen voortdurend onder te brengen in een gesloten konijnenschuur of –stal.

➤ De schuilhut moet worden gebouwd van waterbestendige, 20 mm dikke houtplaten, die in een bouwmarkt verkrijgbaar zijn. Het grondoppervlak moet alle konijnen voldoende plek bieden.

➤ Ter bescherming tegen vocht zet u het hok op 30-40 cm hoge houtblokken. Een klimplank met dwarslatjes geeft toegang tot het hok.

➤ De voorzijde met de ingang moet op het oosten of zuidoosten liggen.

➤ Een puntdak, bekleed met asfaltpapier, beschermt 's zomers tegen de hitte. Het dak moet aan alle kanten zover uitsteken dat de regen er goed vanaf kan aflopen en er aan de voorzijde een overdekte veranda gemaakt kan worden.

CHECKLIST

Een goede inrichting

Holen en buizen

✔ Het waterdichte hok behoort tot de basisuitrusting van een buitenren. Daarnaast kunnen stukken holle boomstam, buizen en tegen elkaar gezette dakpannen een onderkomen bieden.

Graafplaatsen

✔ Aard- en zandhopen zetten aan tot graven.

Uitkijkposten

✔ Stenen en kleine stukken boomstam zijn ideale uitkijkposten.

Bescherming tegen regen

✔ De voederplaats wordt door de houten bodem en het puntdak van het hok tegen neerslag beschermd.

Spelen en leren

Gedrag is het resultaat van genetische invloeden en proberen. Alle dieren leren hun levenlang en vooral vluchtdieren als konijnen moeten zich dingen kunnen herinneren, anders belanden ze in de maag van een hongerig roofdier. Door ervaringen leren ze positief en negatief of zeer gevaarlijk gedrag onderscheiden.

Het leert sneller met iets lekkers. Later gaat het op commando.

Bij het konijn moet een speels leerproces altijd tot een soorteigen gedrag leiden. Met lekkernijen, prijzen en aaien motiveert u uw speelkameraad en bereikt u het beste resultaat. Door ze regelmatig bezig te houden kunnen ze zich niet gaan vervelen en bewegen ze voldoende.

Rechtop gaan zitten

Houd uw konijn een paardebloemblad of een stengel peterselie voor. Houd het eerst slechts een paar centimeter boven de grond. Pas als het eraan knabbelt, tilt u het lekkers verder op. Doe dat wel langzaam, anders verliest de leerling zijn interesse voor de zaak of valt hij achterover. Ten slotte verbindt u de oefening met de opgeheven andere hand en het commando 'kom omhoog'. Train twee- tot driemaal per dag, totdat de leerling alleen op uw commando en handgebaar rechtop gaat zitten. Het lekkere hapje krijgt hij natuurlijk toch wel als

Meer plezier bij het spelen

Speeltijd

✔ 's Morgens vroeg en 's avonds zijn konijnen erg actief: dat is de beste tijd voor oefeningen. Het is slecht leren op een volle maag: geef voor het begin van het spel alleen maar hooi en weinig ander voer, anders werken beloningshapjes niet stimulerend.

Plezier erin houden

✔ Doe elke oefening hooguit driemaal achter elkaar. Verlies nooit uw geduld en stop meteen als het konijn duidelijk zijn plezier in het spel verliest. Alle leerdoelen moeten gericht zijn op het natuurlijke gedrag van konijnen.

Extra stimulans

✔ Met het volgende lekkers maakt u uw speelkameraad enthousiast: paardebloemblad, bladpeterselie, veldsla, wortel en appel.

De slanke lijn

✔ Als uw konijn te vet en traag is geworden, kost het meestal erg veel geduld en consequentheid om hem weer fitter en slanker te maken.

1 Hallo, hier ben ik

Een kleed of doek over een stoel biedt een welkome afwisseling voor het konijn in huis. Hier kan het onder kruipen en zich er heerlijk onder verstoppen. Het is aan te raden een kleed te gebruiken waaraan de dieren mogen knabbelen en krabben.

2 Erin en eruit

Kartonnen dozen van elk formaat – in luxe uitvoering zoals hier of van eenvoudig bruin karton – zijn erg geliefd. Het zijn uitstekende schuil- en uitzichtplaatsen. Konijnen kunnen eraan knabbelen, eraan krabben en ze door de kamer duwen. Met hooi gevuld vormen ze lekkere ligplaatsen en ideale verstopplaatsen voor lekkere hapjes.

beloning! Bij een hongerig dier boekt u sneller resultaat met de oefening.

Fitnesstraining

In Engeland doen konijnen, ongeveer als honden, samen met hun bezitters een behendigheidsparcours: ze springen daarbij over horden, huppelen door tunnels en over wippen. Ze hebben dan zichtbaar plezier, omdat niemand ze onder druk zet. Zoveel sportiviteit hoeft uw konijn ook weer niet op te brengen; een eenvoudige hordenoefening binnen houdt ze ook fit. Die begint in de kooi: laat het dier steeds springen over een 10 cm hoge, houten plank die de kooi in tweeën deelt. Oefening bij vrij rondlopen: stel de horden zo op dat het konijn er niet omheen kan lopen. Zet met het commando 'hop' en iets lekkers aan tot springen. Begin met lage hindernissen, die u langzaam tot maximaal 25 cm hoogte opbouwt.

Alleen spelen

Ook als u geen tijd heeft om mee te spelen, moeten de konijnen zichzelf bezig kunnen houden. Geliefd zijn kartonnen dozen (→ foto boven). Verder staan hoog op de lijst van favoriet speelgoed: houten kinderspeelgoed, apporteerspeeltjes voor honden, een gaatjesbal met een belletje, een snackbal (→ blz. 56), maar ook lege toiletrollen en proppen papier. Aan een koord gehangen lekkers maakt fit en maakt voedsel zoeken plezierig.

Vragen over spelen en bezighouden

Ik wil voor mijn drie konijnen een buitenren inrichten. Heb ik daarvoor toestemming nodig?
Als het om een kleine, verplaatsbare ren gaat, is er niets aan de hand. Bij een grotere ren, die op een vaste plaats wordt gebouwd, hebt u misschien net als bij een schuur toestemming nodig van de gemeente waarin u woont. Als u een huurhuis heeft, is het verstandig ook contact op te nemen met de verhuurder van de woning.

Mijn konijn is verzot op de snackbal van onze kat. Het heeft een opening waaruit lekkere hapjes naar buiten rollen. Die deden hem natuurlijk veel deugd. Is dit spel OK?
Absoluut! Alleen moet u uw konijn een eigen snackbal geven en met konijnensnoepjes vullen. Deze balletjes en snoepjes zijn te koop in een dierenspeciaalzaak. Let erop dat uw jongleur niet meer dan twee snoepjes per spel krijgt. Het rollen, schoppen en opwerpen van balletjes is voor veel konijnen een grote passie.

Ik heb mijn konijn een paar trucs geleerd, maar het verliest snel zijn interesse daarvoor. Waaraan ligt dat?
Konijnen zijn geen doorzetters bij spelletjes. Het zijn geen honden, die ook voor de tiende keer nog steeds geestdriftig achter een bal aanrennen. Konijnen verliezen meestal al bij twee of drie oefeningen hun interesse. Ze laten zich dan ook niet meer door iets lekkers tot de oefening verleiden. Hun lol in het spel bepaalt de speeltijd. Dat betekent ook dat u niet te veel mag vragen van de dieren. Vergeet ze niet tijdens rustpauzes te aaien.

Hannibal heeft de slag te pakken. De snackbal is met lekkers gevuld.

Waar moeten mijn kinderen tijdens het spelen met konijnen op letten?
Ze moeten vooral geduld hebben, niet te opdringerig zijn en beter kijken. Hoe zwaar het ook valt, een grappig kunstje dat het kind aan een vriendje wil laten zien, vreugdekreten en enthousiast heen en weer springen kunnen zelfs een niet-schuw konijn panisch onder de bank doen vluchten. Als ouders moet u uw kinderen uitleggen dat konijnen vluchtdieren zijn, die zich heel anders gedragen dan honden of katten.

Wij hebben voor de konijnen een ren met vier tralie-elementen gekocht. Maar ze blijven in het huisje en schijnen er niet veel lol in te hebben om rond te lopen. Wat gaat hier mis?
Iets schijnt de konijnen bang te maken. Zijn er in de ren te weinig schuilplaatsen of is er een grote lege ruimte? De plaats van de ren is ook belangrijk: hij mag niet midden op een grasveld staan, waar de dieren zich bedreigd kunnen voelen door overvliegende vogels. Zet de ren onder een boom of naast wat struiken en geef de konijnen holle boomstammen, buizen en houten huisjes om in te schuilen. Om van de miniren een echte ren te maken, moet u hem met ten minste vier aanvullende tralie-elementen vergroten. Anders leidt het tuinavontuur bij de konijnen alleen maar tot stress (→ foto, blz. 53).

Ik heb gelezen dat je met konijnen niet kunt spelen. Is dat waar?
Vergeleken met een hond of kat zijn ze als speelkameraad zeker minder goed. Toch kunnen niet-schuwe konijnen wel spelen als u zich ermee bezighoudt. Omdat ze in staat zijn iets te herinneren, zijn ze bereid geoefende spelletjes en kunstjes te doen als ze daarna met wat lekkers worden beloond. Mijn Hannibal speelt met mij met een prop papier, die hij terugduwt of met zijn bek opwerpt, terwijl mijn Velvet graag achter een oude handdoek aanhuppelt.

MIJN TIPS VOOR U

Monika Wegler

Mijn konijn is weg! Wat nu?

- Is uw konijn misschien ergens van geschrokken? Van de hond van de buurman, een politiesirene of het lawaai van een straaljager?
- Waar hebt u het voor het laatst gezien? In paniek geraakte dieren zoeken bijna altijd de dichtstbijzijnde schuilplaats op. Inspecteer bosjes, heggen en schuurtjes in de buurt.
- Uw buren houden zeker hun ogen open. Geef ze een nauwkeurige beschrijving van het konijn of laat een foto zien. Vraag hondenbezitters hun dier in het voorbijgaan aan de lijn te houden.
- Konijnen zijn plaatstrouw. Als het weggelopen dier niet gewond is, komt het vaak in de schemering weer terug.
- De vertrouwde 'stal', bijv. de woning, moet toegankelijk blijven. Aanvullend moet u zijn vertrouwde transportbox met voer op de vluchtplaats zetten.

Vetgedrukte paginanummers verwijzen naar afbeeldingen; S = schutblad

Adressen

Bonden/Verenigingen

- Nederlandse Konijnenbond (NKB), www.nkb.nl
- Nederlandse Vereniging tot Bescherming van Dieren (Dierenbescherming), Postbus 85980, 2508 CR Den Haag

Konijnen op internet

Praktische tips over voeding, verzorging en gezondheid van konijnen, adressen van fokkers en kleindierenverenigingen zijn te vinden op de volgende websites:

- www.knaagdieren.pagina.nl
- www.konijnen.pagina.nl
- www.kleindieren.pagina.nl

- Om reden van dierenbescherming heb ik in dit boek bewust het onderwerp fokken niet ter sprake gebracht, omdat er voor de grotere konijnen doorgaans weinig liefhebbers zijn.
- Steun ook de Dierenbescherming, die zich inzet voor een dierwaardige huisvesting en verzorging van commercieel gehouden konijnen. Ze ondersteunt ook asielen, waar te pas en te onpas konijnen worden gedumpt die in huis niet meer welkom zijn.

Tijdschriften

- Avicultura, Postbus 86, 3958 ZV Amerongen, www.avicultura.net
- Fokkersbelangen, Langeleegte 55, 9641 GR Veendam, e-mail: redactie@fokkersbelangen.nl

Boeken

Andere boeken van Monika Wegler:

- Alles over mijn dwergkonijn, Tirion Uitgevers bv, Baarn, ISBN 90.5210.407.7
- Konijnen, Tirion Uitgevers bv, Baarn, ISBN 90.5210.073.X
- Dwergkonijntjes, Tirion Uitgevers bv, Baarn, ISBN 90.5210.491.3

Auteur / fotograaf

Monika Wegler werkt sinds 20 jaar als zelfstandig dierenfotograaf en schrijfster in München. Zij heeft veel zeer succesvolle handboek(jes) geïllustreerd en ook zelf geschreven. Behalve van haar boeken is zij bekend van haar kalenders en artikelen in tijdschriften. Monika Wegler stelt hoge eisen aan haar werk. Voor haar is het logisch om de zeven katten en twee konijnen waarmee ze samenwoont te zien als haar vrienden. Ze ondersteunt dan ook sinds jaren allerlei dierenbeschermingsorganisaties, zowel financieel als met persoonlijke inzet.

Colofon

ISBN 90.5210.518.9
NUR 431

Omslagbeletttering:
Hans Britsemmer
Oorspronkelijke titel:
Kaninchen, glücklich & gesund

Vertaling: Peter Lina

Dit is een uitgave van
Tirion Uitgevers bv
Postbus 309
3740 AH Baarn

Mijn konijnen

Namen: ______________________

Zo voer ik ze:

____

____

____

Lievelingsspelletjes en -speelgo

____

____

____

Zo willen ze verzorgd worden:

____

____

____

Dit zijn hun eigenaardigheden:

____

____

____

Bijzondere kenmerken:

____

____

____

Dit is hun dierenarts:

____

____

____

DIER & GEZONDHEID

Prachtige huisdierenserie bij TIRION NATUUR

Je lievelingsdier voelt zich er wel bij!

Alles wat je weten wilt over

Landschildpadden	90.5210.492.1
Dwergkonijntjes	90.5210.491.3
Hamsters	90.5210.490.5
Het aquarium	90.5210.489.1

GEZELSCHAPSDIER

Konijnen hebben konijnen nodig: alleen in een gemeenschap is hun hele **gedragsrepertoire** goed te zien: tegen elkaar aan vleien, sociale vachtverzorging, samen spelen en communiceren door snuffelcontact. Begin met minstens **twee konijnen.**

Een gelukkig konijn

SPORT EN SPEL

Door konijnen een interessant leven te geven, worden ze ook voor ons interessant. Een gevarieerde omgeving, regelmatige **leer- en speeltraining** en **toewijding van mensen** vormen de basis van een levendige kameraadschap.

MAAR GEEN STRESS

Drukke bewegingen en lawaai, maar ook plotselinge veranderingen en onoverzichtelijke situaties veroorzaken bij konijnen stress en paniek. Zij hebben een **vertrouwde omgeving** en een vriendelijke, **evenwichtige bezitter** nodig.

HEERLIJK BUITEN

Vakantie op het balkon en vrij rondlopen in tuin zijn goed voor lichaam en geest, zorger voor **frisse lucht**, **beweging** en nieuw indrukken. Veiligheid heeft voorrang: geef z niet te veel zon en bescherm ze tegen hond katten en roofvogels.